CONCEPTION DE COUVERTURE :
FRANÇOIS HUERTAS, ÉTIENNE HÉNOCQ
RACONTÉ PAR MARIE FARRÉ
IMPRIMÉ EN FRANCE
PAR I.M.E. À BAUME-LES-DAMES
DÉPÔT LÉGAL N°2257 - JUILLET 1997
46.06.0958.09/2 - ISBN 2.23.000311.9
LOI N°49.956 DU 16 JUILLET 1949
SUR LES PUBLICATIONS
DESTINÉES À LA JEUNESSE

présente

Bambi

HACHETTE ÉDITION

C’est le printemps.

Les oiseaux gazouillent, l’écureuil bâille.
La forêt se réveille...

Soudain, un petit lapin saute sur un
tronc d’arbre et tambourine de sa patte arrière.

Pan-pan!

« Venez tous! crie-t-il.
Un bébé faon vient de naître! »

Dans la clairière, une biche lèche tendrement
son nouveau-né.

« Il s’appelle Bambi », dit-elle.

« Bonjour, Bambi! » s'écrient les animaux en chœur.

Mais le petit animal ne répond pas : il ne sait pas encore parler. Et surtout, il a tellement sommeil! Il bâille à se décrocher la mâchoire.

Le lapin Pan-Pan l'observe, intrigué.

Finalement, le faon ouvre les yeux.

Tiens, il essaie de se redresser! Il pose une patte, puis l'autre...

« Vas-y petit! lui crie Pan-Pan.
Encore un effort! »
Bambi tient enfin debout sur ses pattes.
Pas longtemps... il retombe d'un seul coup.
« C'est un bébé, murmure sa mère. Il faut
qu'il grandisse pour jouer avec vous. »
Pan-Pan hoche la tête, pensif. Il est sûr que
Bambi et lui vont devenir de grands amis.

Aujourd'hui, Bambi se promène dans la forêt avec Pan-Pan.

« Tu vois l'oiseau qui vole? demande le lapin. Répète : oiseau!

– Oi-seau », dit docilement Bambi.

Un papillon volète sous son nez.

« Oiseau! s'exclame Bambi, ravi.

– Non, corrige Pan-Pan. Papillon.

– Pa-pil-lion!», dit Bambi.

Le papillon se pose sur une fleur puis
s'envole.

« Papillon, dit Bambi, admirant la fleur.

– Non ! s'écrie Pan-Pan en riant. Fleur ! »

Le buisson de fleurs remue...

Surgit le fin museau d'une mouffette.

– Fleur ! Fleur ! murmure Bambi.

– Je suis flattée, déclare la mouffette.

Fleur est un très joli prénom ! »

Ce matin, pour la première fois, la biche emmène Bambi dans la prairie.

« Tu vas rencontrer quelqu'un qui désire te connaître », dit-elle, mystérieuse.

Mais le faon ne se pose même pas de questions. La beauté du paysage l'enchante. Dire qu'il croyait que le monde s'arrêtait à la clairière! Cette vaste étendue d'herbe lui donne envie de galoper sans fin.

« Vas-y, mon fils, cours! s'écrie la biche. En automne, tu ne pourras plus venir à cause des chasseurs. »

Bambi s'élance.

Enfin, il gambade dans la prairie, heureux
de sentir le vent lui fouetter les oreilles.
Maintenant, il est bien solide sur ses pattes.

Le voilà arrivé au bord d'une mare, entourée
de roseaux.

Il se penche pour boire... et que voit-il
dans l'eau claire? Un petit faon comme lui!

Sa mère éclate de rire et lui explique :

« L'eau est comme un miroir, mon Bambi.
Ce faon qui te ressemble... c'est toi! »

Le jeune animal se met à boire, un peu
surpris. Soudain, il voit deux Bambis à la surface
de l'eau!

« Et celui-ci, est-ce moi aussi?

– Non, c'est moi! » répond une voix rieuse.

Une petite biche sort des roseaux.

« Je suis Faline, commence la nouvelle
venue. J'ai juste ton âge. J'aimerais bien
jouer avec toi... Mais... qu'est-ce qui t'arrive?
Ne te sauve pas! »

Effarouché, Bambi s'est caché derrière
sa mère.

« N'aie pas peur, lui murmure la biche.
Faline veut devenir ton amie... »

Le faon tremble sur ses pattes.

Faline s'avance en souriant.

« Est-ce que tu as déjà embrassé un porc-épic?
demande-t-elle.

– Jamais! Quelle drôle d'idée... bredouille
Bambi en reculant, apeuré.

– Eh bien moi, je l'ai fait! s'écrie
Faline qui s'approche toujours. Attention! »

Trop tard! Un pas en arrière
et le faon tombe assis dans la mare!

« Ha! Ha! s'esclaffe Faline. Tu as vraiment
peur de moi! Allons, viens t'amuser,
je ne te mordrai pas! »

Bambi se relève, de très mauvaise humeur.
Mais Faline s'est sauvée.

« Rattrape-moi! » crie-t-elle au loin.

Le faon gambade derrière elle.
Dans les hautes herbes, les deux petits
animaux jouent, bondissent et font les fous.

La mère de Bambi les observe tendrement :
ils sont devenus amis.

Soudain, Bambi et Faline s'arrêtent,
stupéfaits.

Un troupeau de cerfs a débouché de la
clairière, menée par un chef majestueux.

« C'est ton père, murmure la biche à Bambi.
Il est fort, sage et courageux.
C'est le roi de la forêt. »

Le grand cerf s'approche du faon et le
contemple gravement.

« Mon fils, déclare-t-il, je suis fier de
tes progrès. Je t'ai vu grandir.
Je veille sur toi de loin, sache-le.
Plus tard, tu me succéderas. Ce sera toi, le roi de
la forêt...
– Jamais je ne pourrai...
– Tu pourras! J'ai foi en toi, mon fils,
courage! »
Et le grand cerf s'éloigne lentement.

Déjà l'hiver! Bambi s'amuse en marchant dans la neige; ses pattes s'enfoncent. C'est rigolo!

« Houhou! crie une voix. Viens faire la course! »

C'est Pan-Pan qui patine sur le lac gelé. Il file comme le vent.

Le faon risque une patte, une autre, une troisième et BAOUM! Il pique du nez sur la glace, et s'étale de tout son long.

Pan-Pan se tord de rire et frappe le sol
de sa patte. Pan-pan !

« Ha ! Ha ! Tu n'es vraiment pas doué !
s'exclame le lapin. Tes sabots ne sont
peut-être pas assez larges. Je vais t'aider ! »

Il pousse doucement son ami vers la berge.

Ouf, Bambi se sent mieux ! Il se redresse,
s'ébroue un peu et galope allègrement
dans la neige.

L'hiver est une rude saison. Le vent hurle
et le froid pénètre jusqu'aux os.

Bambi, grelottant, se blottit contre
sa mère.

Comment trouver de quoi manger? La neige
couvre la terre. La biche gratte patiemment
la croûte gelée pour trouver de maigres brins
d'herbe qu'elle donnera à son fils.

Le petit doit manger à sa faim...

La prairie est devenue dangereuse :
les chasseurs rôdent, fusil à la main.

Pourtant, Bambi et sa mère s'y aventurent
un jour, avec l'espoir d'y trouver les dernières
pousses.

Soudain, la biche hume le vent et tourne
la tête. Elle a senti une odeur qu'elle
connaît bien : celle de son plus grand ennemi,
l'homme.

« Vite, Bambi, cours vers les plateaux!
crie-t-elle. Ne t'arrête surtout pas! »

Affolé, Bambi détale.

Une détonation retentit derrière lui.
Les chiens de meute aboient sauvagement.

« Cours toujours! » hurle la biche.

Mort de peur, le faon s'enfuit vers les
hauteurs. Il s'arrête, épuisé.

Un grand cerf s'avance vers lui, dans la neige.
C'est le roi de la forêt, son père.

« Un grand malheur est arrivé,
déclare-t-il tristement. Les chasseurs ont tué ta
mère. Courage. Tu vas grandir, mon fils!
Je suis là. »

Le roi de la forêt fait demi-tour
et escalade les rochers, qui dominent la forêt.

Bambi aimerait lui parler, courir derrière
lui... il n'ose pas.

Bouleversé, le faon regagne les bois.

A présent, il est tout seul.

Ce n'est plus un enfant.

« Tu vas grandir, mon fils! » lui a dit
son père.

Le printemps est enfin revenu!

L'herbe verte pointe et dans les arbres,
les oiseaux chantent.

Un vieux hibou ronchonne :

« Quel boucan! Si au moins, ils cessaient
de gazouiller quand ils s'embrassent!
Qu'ils m'assomment avec leurs cui-cui-cui!
L'amour, c'est le mal du printemps.
Ah, quelle idiotie!

– Tout à fait d'accord! s'exclame un jeune
cerf en passant.

– Merci, mais... qui es-tu?

– Maître Hibou! Auriez-vous donc oublié Bambi?

– Bambi? C'est vraiment toi? »

Oui, comme il a changé, le petit faon du printemps dernier. Âgé maintenant d'un an, c'est un animal splendide à la robe brune et aux longues pattes fines.

« Que tu es beau! » pépient les oiseaux.

Bambi poursuit son chemin, nez au vent.

Où sont donc passés ses amis?

Tiens, voilà Fleur, la mouffette, qui se laisse conter fleurette par son amoureux.

« Houhou, Bambi! appelle-t-elle. Comme tu as grandi. As-tu trouvé une fiancée?

– Tu veux rire! riposte le jeune cerf. Je ne serai jamais assez bête pour aimer!

– Ah, ah! Ça arrive à tout le monde! »

Pan-pan!

Qui frappe donc sur un tronc?
Un beau lapin à l'œil malin : Pan-Pan!

« Bambi, je te retrouve! s'écrie-t-il. Tu as bien raison, ils ont tous l'air idiot, ces amoureux! »

Hé, hé! près d'une touffe de trèfle, une ravissante lapine lui sourit en battant des cils.

Pan-Pan s'arrête, émerveillé : c'est le coup de foudre!

« Ah, le traître ! marmonne Bambi furieux
en s'éloignant. Et quel nigaud !
Ce n'est pas moi qu'une lapine attraperait
en battant des cils ! »

Le jeune cerf soupire. Maintenant qu'il
est amoureux, Pan-Pan ne jouera plus avec lui
comme avant !

Ses pas le conduisent au bord du lac.
C'est ça, la vie, être libre et indépendant !

Il se penche pour boire quelques gorgées.
Et il se souvient. C'est dans une mare qu'il
avait vu pour la première fois le fin museau
de Faline.

« Qu'est-elle devenue? se demande
Bambi, tout rêveur. Nous nous amusions si bien,
ensemble... »

La surface de l'eau se trouble... et une
jolie tête apparaît près de la sienne.

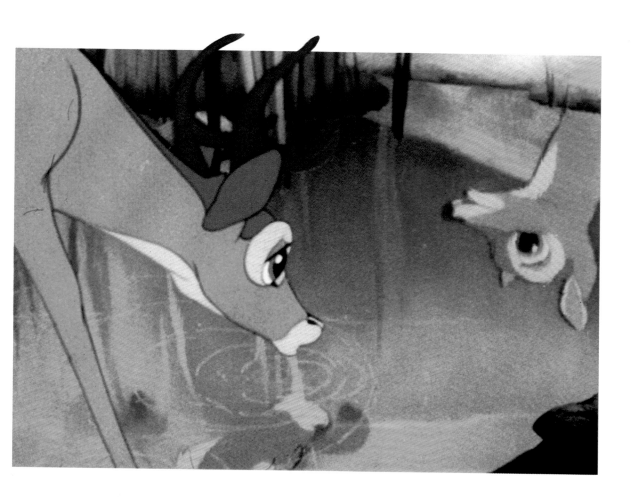

« Bonjour... murmure une voix.

– Faline! » s'écrie Bambi, levant la tête.

Le jeune cerf écarquille les yeux.
Faline est ravissante avec ses longs cils, son regard
tendre, son corps souple...

« Que tu es belle...! » bredouille Bambi.

La jeune biche éclate de rire, puis elle
s'élance droit devant elle, poursuivie par son
ami retrouvé.

Est-ce le « mal du printemps »?

Bambi a la tête qui tourne. C'est un vertige délicieux. Des pensées folles l'assaillent. Il aimerait ne plus jamais quitter Faline!

Brusquement, il s'arrête. Un jeune cerf toise les amoureux d'un air menaçant.

« Faline est à moi! crie rudement le nouveau venu. Elle sera ma femme. Va-t'en! »

« Jamais il n'aura Faline! se dit Bambi,
révolté. Je vaincrai cet arrogant! »

Hardi, il s'élance tête baissée contre
son rival. Les bois s'entrechoquent avec un bruit
épouvantable. La terre tremble sous les coups
de sabots.

Faline s'est cachée derrière un rocher.

« Bambi! Vas-y! hurle-t-elle.
Je t'aime... »

Bambi revient à la charge.

Mais son rival est un lutteur expérimenté.

Avec l'énergie du désespoir, il se rue sur son adversaire et lui transperce l'épaule.

Ce dernier s'écroule, vaincu.

Bambi a gagné son premier combat!

Faline sort de sa cachette et vient féliciter son héros.

« C'est fini, ma Faline, murmure le jeune cerf. Rien ne nous séparera plus jamais. »

L'automne est arrivé.

Bambi et Faline vivent toujours heureux
dans la forêt.

Ce matin, Bambi s'est aventuré sur les
rochers, laissant Faline endormie.

Soudain, un coup de feu éclate.
Les chasseurs sont revenus!

« Faline! » s'écrie-t-il.

Hélas, pendant ce temps, les chiens ont
encerclé la biche qui ne peut s'enfuir.

Quel est ce bruit de galop?

C'est Bambi qui s'élance pour défendre sa belle!

Il fonce dans la meute, les bois en avant. Les chiens abandonnent la biche pour répondre aux coups.

« Sauve-toi, Faline! » crie-t-il en se battant sauvagement.

La biche dévale les rochers et, terrifiée, disparaît.

D'un coup de tête, Bambi projette l'un
des chiens en l'air. L'animal retombe sur les
rochers. Mais la meute n'abandonne toujours pas.
Tous crocs dehors, elle assaille son adversaire.

« Maintenant, songe Bambi, Faline ne
risque plus rien. »

Il bondit de côté et de ses pattes,
fait basculer un rocher. Une avalanche de pierres
s'abat sur ses poursuivants.
Les voilà coincés pour un moment! Vite, le jeune
cerf en profite pour fuir au triple galop.

La bagarre a été féroce.
Bambi s'arrête, exténué.

Soudain, une douleur déchirante lui traverse
l'épaule. Un coup de fusil!

Bambi s'écroule.

Impossible de continuer.

Va-t-il mourir?

Une odeur âcre lui parvient aux naseaux,
une odeur redoutable : le FEU ! LA FORÊT
BRÛLE!

Et lui, affaibli par sa blessure, ne parvient
pas à se relever.

« Lève-toi, mon fils ! » lui ordonne une voix profonde.

C'est le roi de la forêt, son père !

« Debout, Bambi ! Ta blessure n'est pas grave. Allons, du courage ! »

Les dents serrées, le jeune cerf se lève.

« Tous à la rivière ! hurle le roi. Regagnons l'île ! C'est notre seule chance ! Un dernier effort, Bambi, je cours avec toi ! »

Tous les animaux fuient la forêt en feu.
Au loin, on entend le bruit d'une cascade...
Enfin la rivière! Les lapins nagent avec les renards,
les loups avec les cerfs...
   Bambi et son père abordent l'île les derniers.

   Quel bonheur, Faline est saine
et sauve ainsi que Pan-Pan, Fleur et tous
les amis!

Au printemps suivant...

L'herbe pousse dru et les fleurs resplendissent
dans la forêt. Tout est redevenu comme avant.
Comme avant?
Pas tout à fait. Pan-Pan et sa compagne
rayonnent de bonheur devant leurs lapereaux
malicieux. Fleur la mouffette et son mari
couvent des yeux leurs bébés.

Soudain, un oiseau volète au-dessus de
la clairière en criant à plein gosier :
« Falinadéfan! Falinadéfan! »
« Vous avez entendu! s'exclame Pan-Pan.
Quel événement!
– Je n'ai rien compris... dit l'écureuil.
– Bambi est devenu père! dit Pan-Pan.
Faline vient d'avoir deux faons! J'emmène
mes enfants les voir! »

Au fond d'un fourré moelleux, Faline
lèche ses deux bambinos. Tous les animaux de
la forêt les contemplent, admiratifs.

« Qu'ils sont mignons! murmure Fleur.

– Bonjour, petits faons! » lancent en
chœur les enfants de Pan-Pan.

Les nouveau-nés ne répondent pas. Ils
ne parlent pas encore. Et ils ne marchent pas
non plus : à peine debout, ils tombent.

Amusé, Pan-Pan se rappelle Bambi quand il apprenait à parler...

Les lapereaux bondissent autour des faons. Ils espèrent qu'ils s'entendront bien.

Au loin, sur les rochers, un grand cerf majestueux observe la forêt : Bambi.

Maintenant, il veille à la place de son père devenu vieux. Ce matin, aucun danger en vue. Tant mieux. Gaiement, le roi de la forêt reprend le chemin du fourré où l'attendent Faline, ses faons et ses amis.